Pour Paeony Lewis, mon amie sincère.

D.B.

Pour Heidi, Chloe et Ben. Pour leur amour,

leur soutien… et leurs tasses de thé.

D.H.

Adaptation française : Mélanie Carpe
Secrétariat d'édition : Sonia Berthelot
PAO : Julien Chadaigne
© 2003 Éditions Gründ pour l'édition française
© 2003 Little Tiger Press pour l'édition originale sous le titre
What Are You Doing in My Bed ?
© 2003 David Bedford pour le texte
© 2003 Daniel Howarth pour les illustrations
ISBN : 2-7000-4918-7/Dépôt légal : janvier 2003
Imprimé à Singapour
Loi n° 49-956 du 16 juillet 1949 sur les publications destinées à la jeunesse

Que fais-tu dans Mon lit?

Texte **David Bedford**

Illustrations **Daniel Howarth**

Adaptation française **Mélanie Carpe**

Gründ

C'était une froide nuit d'hiver. Potiron le
chaton n'avait nulle part où dormir. Alors,
il se glissa doucement dans une maison…

et trouva un lit où il s'installa.

Soudain, il entendit…

des murmures, des sifflements,
des pas feutrés traversant
les ténèbres.

Des yeux verts, menaçants,
brillaient derrière la fenêtre,
et tout à coup…

un, deux, trois, quatre, cinq, six chats se
bousculèrent dans la chatière !
Ils firent des culbutes, des dérapages, des galipettes
à travers la pièce et se trouvèrent nez à nez avec…

Potiron !
– Que fais-TU dans NOTRE lit ? s'écrièrent les
six chats en colère.

– Votre lit ? reprit Potiron.
Mais il est trop petit. Il n'y a
pas de place pour tous !

– Pas de place ? reprirent les
chats. Regarde…

Un, deux, trois chats
s'installèrent tête-bêche…

et quatre, cinq, six
grimpèrent par-dessus.

– Tu vois ? dirent-ils. Il n'y
a pas de place pour toi.

– Pas de place ? s'exclama
Potiron. Regardez…

Chancelant et vacillant, Potiron escalada cette
montagne de chats.
- Voilà ma place, finit-il par dire.

Les chats s'étirèrent, bâillèrent et conclurent :
- D'accord. Reste là-haut et tiens-nous chaud.
Mais interdiction de gigoter et de ronfler !
Et, entassés, ils s'endormirent.

Quand soudain, une grosse
voix résonna :

– QUE FAITES-VOUS
DANS MON LIT ?
DEHORS !

Les chats déguerpirent,
bondissant à travers la pièce.
Mais hors du lit, il n'y avait
que de froids et durs recoins
pour dormir.

Ronchon le chien ne tarda pas à s'endormir
dans son panier.
Mais un vent glacial s'engouffra dans la chatière
et réveilla Ronchon qui frissonna.

Alors, Potiron chuchota :
– Venez… et, suivi par six
chats grelottants, il traversa la pièce…

jusqu'au panier si convoité.

– Nous allons te réchauffer, dit Potiron.

– Mais c'est trop petit, répliqua Ronchon,
l'air boudeur.

– Trop petit ? dit Potiron. Regarde…

Potiron et Ronchon dormirent sur leurs deux oreilles jusqu'au petit matin, bercés par le doux ronronnement des chats.

Et tout le monde avait sa place !